Conduta Espírita

Waldo Vieira

Conduta Espírita

Pelo Espírito
André Luiz

FEB

Copyright © 1960 *by*
FEDERAÇÃO ESPÍRITA BRASILEIRA – FEB

32ª edição – 15ª impressão – 1,5 mil exemplares – 5/2024

MISTO
Papel | Apoiando o manejo florestal responsável
FSC
www.fsc.org
FSC® C103535

ISBN 978-85-7328-695-3

Todos os direitos reservados. Nenhuma parte desta publicação pode ser reproduzida, armazenada ou transmitida, total ou parcialmente, por quaisquer métodos ou processos, sem autorização do detentor do *copyright*.

FEDERAÇÃO ESPÍRITA BRASILEIRA – FEB
SGAN 603 – Conjunto F – Avenida L2 Norte
70830-106 – Brasília (DF) – Brasil
www.febeditora.com.br
editorial@febnet.org.br
+55 61 2101 6161

Pedidos de livros à FEB
Comercial
Tel.: (61) 2101 6161 – comercial@febnet.org.br

Adquirindo esta obra, você está colaborando com as ações de assistência e promoção social da FEB e com o Movimento Espírita na divulgação do Evangelho de Jesus à luz do Espiritismo.

Dados Internacionais de Catalogação na Publicação (CIP)
(Federação Espírita Brasileira – Biblioteca de Obras Raras)

L953c   Luiz, André (Espírito)

Conduta espírita / pelo Espírito André Luiz; [psicografado por] Waldo Vieira. – 32. ed. – 15. imp. – Brasília: FEB, 2024.

120 p.; 21 cm

ISBN 978-85-7328-695-3

1. Espiritismo – Conduta. 2. Espiritismo. 3. Obras psicografadas. I. Vieira, Waldo, 1932–2015. II. Federação Espírita Brasileira. III. Título.

CDD 133.93
CDU 133.7
CDE 00.06.02

Sumário

Conduta espírita 9
Mensagem ao leitor 11

1 Da mulher 13
2 Do jovem 15
3 Do dirigente de reuniões doutrinárias 17
4 Do médium 21
5 No lar 25
6 Na via pública 27
7 Em viagem 29
8 No trabalho 31
9 Na sociedade 33
10 Nos embates políticos 35
11 No templo 37
12 Na obra assistencial 41

13	Na propaganda	45
14	Na tribuna	49
15	Na imprensa	51
16	Na radiofonia	53
17	Nos conclaves doutrinários	55
18	Perante nós mesmos	57
19	Perante os parentes	59
20	Perante os companheiros	61
21	Perante a criança	63
22	Perante os doentes	67
23	Perante os profitentes de outras religiões	69
24	Perante os espíritos sofredores	71
25	Perante os mentores espirituais	73
26	Perante a oração	75
27	Perante a mediunidade	77
28	Perante o passe	79
29	Perante o fenômeno	81
30	Perante os sonhos	83
31	Perante a pátria	85
32	Perante a natureza	87
33	Perante os animais	89
34	Perante o corpo	91
35	Perante a enfermidade	93
36	Perante a desencarnação	95
37	Perante as fórmulas sociais	97

38 Perante o tempo 99
39 Perante os fatos momentosos 101
40 Perante as revelações do passado e do futuro 103
41 Perante o livro 105
42 Perante a instrução 107
43 Perante a ciência 109
44 Perante a arte 111
45 Perante a Codificação Kardequiana 113
46 Perante a própria Doutrina 115
47 Perante Jesus 117

Conduta espírita[1]

Abraçando o Espiritismo, pedes, a cada passo, orientação para as atitudes que a vida te solicita.

Pensando nisso, André Luiz traçou as normas que constituem este epítome de conduta.

Não encontramos aqui páginas jactanciosas com a presunção de ensinar diretrizes de bom-tom, mas simples conjunto de lembretes para uso pessoal, no caminho da experiência, à feição de roteiro de nossa lógica doutrinária.

Certa feita, disse o divino Mestre: "Quem me serve, siga-me", e, noutra circunstância, afirmou: "Quem me segue não anda em trevas".

Reconhecemos, assim, que não basta admirar o Cristo e divulgar-lhe os preceitos. É imprescindível acompanhá-lo para que estejamos na bênção da luz.

Para isso, é imperioso lhe busquemos a lição pura e viva. De igual modo acontece na Doutrina Espírita, que lhe revive o apostolado de redenção.

---

[1] N.E.: Este prefácio foi recebido pelo médium Francisco Cândido Xavier.

Quem procure servi-la, deve atender-lhe as indicações. E quem assim proceda, em parte alguma sofrerá dúvidas e sombra.

Assim, ler este livro equivale a ouvir um companheiro fiel ao bom senso. E se o bom senso ajuda a discernir, quem aprende a discernir sabe sempre como deve fazer.

Emmanuel
Uberaba (MG), 17 de janeiro de 1960.

MENSAGEM AO LEITOR

Amigo:

Não temos aqui um compêndio à guisa de código para boas maneiras, tendo em vista a etiqueta e a cerimônia dos protocolos sociais.

Reunimos algumas páginas com indicações cristãs para que venhamos a burilar as nossas atitudes no campo espírita em que o Senhor, por acréscimo de misericórdia, nos situou os corações.

Assim, pois, rogamos não se veja em nossos apontamentos esse ou aquele propósito de culto às convenções do mundo exterior, nem teorização de disciplinas superficiais.

É que, na atualidade, mourejam, somente no Brasil, mais de um milhão de trabalhadores do Espiritismo e, decerto, por amor à nossa Doutrina de Libertação, será justo sintonizar as nossas manifestações, no campo vulgar da vida, com os princípios superiores que nos comandam as diretrizes.

Sabemos que a liberdade espiritual é o mais precioso característico de nosso movimento. Entretanto, se somos independentes para ver a luz a interpretá-la, não podemos esquecer que o exemplo digno é a base para a nossa verdadeira união em qualquer realização respeitável.

Da conduta dos indivíduos depende o destino das organizações.

Este livro não tem a presunção de traçar diretrizes absolutas ao comportamento espírita. Compreendemos, com Allan Kardec, que, em Espiritismo, foi pronunciada a primeira palavra, mas, em face do caráter progressivo de seus postulados, ninguém poderá dizer a última.

Relevem-nos, desse modo, quantos lerem as presentes nótulas, traçadas de caminho a caminho.

Escrevendo-as, tivemos em mira tão somente a nossa própria necessidade de aperfeiçoamento, ante a crescente extensão dos espíritas em nossos círculos de ação, com a certeza de que somos indistintamente tutelados de Nosso Senhor Jesus Cristo, o nosso Mestre divino, achando-nos todos chamados, por Ele, a aprender na abençoada Escola Terrestre.

ANDRÉ LUIZ
Uberaba (MG), 17 de janeiro de 1960.

— 1 —
Da mulher

Compenetrar-se do apostolado de guardiã do instituto da família e da sua elevada tarefa na condução das almas trazidas ao renascimento físico.

Todo compromisso no bem é de suma importância no mundo espiritual.

―――◆―――

Afastar-se de aparências e fantasias, consagrando-se às conquistas morais que falam de perto à vida imperecível, sem prender-se ao convencionalismo absorvente.

O retorno à condição de desencarnado significa retorno à consciência profunda.

―――◆―――

Afinar-se com os ensinamentos cristãos que lhe situam a alma nos serviços da maternidade e da educação, nos deveres da assistência e nas bênçãos da mediunidade santificante.

Quem foge à oportunidade de ser útil, engana a si mesmo.

―――◆―――

Sentir e compreender as obrigações relacionadas com as uniões matrimoniais do ponto de vista da vida multimilenária do Espírito, reconhecendo a necessidade das provações regenerativas que assinalam a maioria dos consórcios terrestres.

O sacrifício representa o preço da alegria real.

Opor-se a qualquer artificialismo que vise transformar o casamento numa simples ligação sexual, sem as belezas da maternidade.

Junto dos filhos apagam-se ódios, sublima-se o amor e harmonizam-se as almas para a eternidade.

Reconhecer grave delito no aborto que arroja o coração feminino à vala do infortúnio.

Sexo desvirtuado, caminho de expiação.

Preservar os valores íntimos, sopesando as próprias deliberações com prudência e realismo, em seus deveres de irmã, filha, companheira e mãe.

O trabalho da mulher é sempre a missão do amor, estendendo-se ao infinito.

E, respondendo, disse-lhe Jesus: — Marta, Marta, estás ansiosa e afadigada com muitas coisas, mas uma só é necessária; e Maria escolheu a boa parte, a qual não lhe será tirada.

(Lucas, 10:41 e 42.)

2
Do jovem

Moderar as manifestações de excessivo entusiasmo, exercitando-se na ponderação quanto às lutas de cada dia, sem, contudo, deixar-se intoxicar pela circunspecção sistemática ou pela sombra do pessimismo.
O culto da temperança afasta o desequilíbrio.

Anotar a extensão das suas forças, consultando sempre os corações mais amadurecidos no aprendizado terrestre, sobre as diretrizes e os passos fundamentais da própria existência, prevenindo-se contra prováveis desvios.
Invigilância conservada, desastre certo.

Guardar persistência e uniformidade nas atitudes, sem dispersar possibilidades em múltiplas tarefas simultâneas, para que não fiquem apenas parcialmente executadas.
Inconstância e indisciplina são portas de frustração.

Abster-se do mergulho inconsciente nas atividades de caráter festivo, evitando, outrossim, o egoísmo doméstico que inspire a deserção do trabalho de ordem geral.

A imprudência constrói o desajuste, o desajuste cria o extremismo e o extremismo gera a perturbação.

Apagar intenções estranhas aos deveres de humanidade e ao aperfeiçoamento moral de si mesmo.
A insinceridade ilude, primeiramente, aquele que a promove.

Buscar infatigavelmente equilíbrio e discernimento na sublimação das próprias tendências, consolidando maturidade e observação no veículo físico desde os primeiros dias da mocidade, com vistas à vida perene da alma.
Os compromissos assumidos pelo Espírito reencarnante têm começo no momento da concepção.

Foge também aos desejos da mocidade; e segue a justiça, a fé, o amor e a paz com os que, de coração puro, invocam o Senhor. — PAULO.

(II TIMÓTEO, 2:22.)

— 3 —
Do dirigente de reuniões doutrinárias

Ser atencioso, sereno e compreensivo no trato com os enfermos encarnados e desencarnados, aliando humildade e energia, tanto quanto respeito e disciplina na consecução das próprias tarefas.

Somente a forja do bom exemplo plasma a autoridade moral.

Observar rigorosamente o horário das sessões, com atenção e assiduidade, fugindo de realizar sessões mediúnicas inopinadamente, por simples curiosidade ou ainda para atender a solicitação sem objetivo justo.

Ordem mantida, rendimento avançado.

Em favor de si mesmo e dos corações que se lhe associam à experiência, não se deixar conduzir por excessiva credulidade no trabalho direcional, nem alimentar, igualmente, qualquer prevenção contra pessoas ou assuntos.

Quem se demora na margem, sofre atraso no caminho.

Interdizer a participação de portadores de mediunidade em desequilíbrio nas tarefas sistematizadas de assistência mediúnica, ajudando-os discretamente no reajuste.

Um doente-médium não pode ser um médium-sadio.

Colaborar para que se não criem situações constrangedoras para qualquer assistente, seja ele médium, enfermo ou acompanhante, procurando a paz de todos em todas as circunstâncias.

O proveito de uma sessão é fruto da paz naqueles que a integram.

Impedir, sem alarde, a presença de pessoas alcoolizadas ou excessivamente agitadas nas assembleias doutrinárias, excetuando-se nas tarefas programadas para tais casos.

A caridade não dispensa a prudência.

Esclarecer com bondade quantos se apresentem sob exaltação religiosa ou com excessivo zelo pela própria Doutrina Espírita, à feição de fronteiriços do fanatismo.

O conselho fraterno existe como necessidade mútua.

Desaprovar o emprego de rituais, imagens ou símbolos de qualquer natureza nas sessões, assegurando a pureza e a simplicidade da prática do Espiritismo.

Mais vale um sentimento puro que centenas de manifestações exteriores.

Rejeitar sempre a condição simultânea de dirigente e médium psicofônico, por não poder, desse modo, atender condignamente nem a um nem a outro encargo.

Em qualquer atividade, a disciplina sedimenta o êxito.

Fugir de julgar-se superior somente por estar na cabina de comando.

Não é a posição que exalta o trabalhador, mas sim o comportamento moral com que se conduz dentro dela.

Como, pois, recebestes o Senhor Jesus Cristo, assim também andai nele. — Paulo.

(Colossenses, 2:7.)

4
Do médium

Esquivar-se à suposição de que detém responsabilidades ou missões de avultada transcendência, reconhecendo-se humilde portador de tarefas comuns, conquanto graves e importantes como as de qualquer outra pessoa.

O seareiro do Cristo é sempre servo e servo do amor.

No horário disponível entre as obrigações familiares e o trabalho que lhe garante a subsistência, vencer os imprevistos que lhe possam impedir o comparecimento às sessões, tais como visitas inesperadas, fenômenos climatéricos e outros motivos, sustentando lealdade ao próprio dever.

Sem euforia íntima não há exercício mediúnico produtivo.

Preparar a própria alma em prece e meditação antes da atividade mediúnica, evitando, porém, concentrar-se mentalmente para semelhante mister durante as explanações doutrinárias, salvo quando lhe caibam tarefas especiais concomitantes, a fim de que não se prive do ensinamento.

A oração é luz na alma refletindo a Luz divina.

Controlar as manifestações mediúnicas que veicula, reprimindo, quanto possível, respiração ofegante, gemidos, gritos e contorções, batimentos de mãos e pés ou quaisquer gestos violentos.

O medianeiro será sempre o responsável direto pela mensagem de que se faz portador.

Silenciar qualquer prurido de evidência pessoal na produção desse ou daquele fenômeno.

A espontaneidade é o selo de crédito em nossas comunicações com o reino do Espírito.

Mesmo indiretamente, não retirar proveito material das produções que obtenha.

Não há serviço santificante na mediunidade vinculada a interesses inferiores.

Extinguir obstáculos, preocupações e impressões negativas que se relacionem com o intercâmbio mediúnico, quais sejam a questão da consciência vigilante ou da inconsciência sonambúlica durante o transe, os temores inúteis e as suscetibilidades doentias, guiando-se pela fé raciocinada e pelo devotamento aos semelhantes.

Quem se propõe avançar no bem, deve olvidar toda causa de perturbação.

Ainda quando provenha de círculos bem-intencionados, recusar o tóxico da lisonja.

No rastro do orgulho, segue a ruína.

Fugir aos perigos que ameaçam a mediunidade, como sejam a ambição, a ausência de autocrítica, a falta de perseverança no bem e a vaidade com que se julga invulnerável.

O medianeiro carrega consigo os maiores inimigos de si próprio.

Mas a manifestação do Espírito é dada a cada um, para o que for útil. — PAULO.

(I CORÍNTIOS, 12:7.)

5
No lar

Começar na intimidade do templo doméstico a exemplificação dos princípios que esposa, com sinceridade e firmeza, uniformizando o próprio procedimento, dentro e fora dele.

Fé espírita no clima da família, fonte do Espiritismo no campo social.

Calar todo impulso de cólera ou violência, amoldando-se ao Evangelho de modo a estabelecer a harmonia em si mesmo perante os outros.

A humildade constrói para a Vida eterna.

Proporcionar às crianças os fundamentos de uma educação sólida e bem orientada, sem infundir-lhes medo ou fantasias, começando por dar-lhes nomes simples e naturais, evitando a pompa dos nomes famosos, suscetíveis de lhes criar embaraços futuros.

O lar é a escola primeira.

Sempre que possível, converter o santuário familiar em dispensário de socorro aos menos felizes, pela aplicação daquilo que seja menos necessário à mantença doméstica.

A Seara do Cristo não tem fronteira.

Se está sozinho com a sua fé, no recesso do próprio lar, deve o espírita atender fielmente ao testemunho de amor que lhe cabe, lembrando-se de que responderá, em qualquer tempo, pelos princípios que abraça.

A ribalta humana situa-nos sempre no papel que devamos desempenhar.

Ao menos uma vez por semana, formar o culto do Evangelho com todos aqueles que lhe coparticipam da fé, estudando a verdade e irradiando o bem, por meio de preces e comentários em torno da experiência diária à luz dos postulados espíritas.

Quem cultiva o Evangelho em casa, faz da própria casa um templo do Cristo.

Evitar o luxo supérfluo em aposentos, objetos e costumes, imprimindo em tudo características de naturalidade, desde os hábitos mais singelos até os pormenores arquitetônicos da própria moradia.

Não há verdadeiro clima espírita cristão sem a presença da simplicidade conosco.

Aprendam primeiro a exercer piedade para com a sua própria família e a recompensar seus pais, porque isto é bom e agradável diante de Deus. — PAULO.

(I TIMÓTEO, 5:4.)

6
NA VIA PÚBLICA

Demonstrar, com exemplos, que o espírita é cristão em qualquer local.
A Vinha do Senhor é o mundo inteiro.

Colaborar na higiene das vias públicas, não atirando detritos nas calçadas e nas sarjetas.
As pessoas de bons costumes se revelam nos menores atos.

Consagrar os direitos alheios, usando cordialidade e brandura com todo transeunte, seja ele quem for.
O culto da caridade não exige circunstâncias especiais.

Cumprimentar com serenidade e alegria as pessoas que convivem conosco, inspirando-lhes confiança.
A saudação fraterna é cartão de paz.

Exteriorizar gentileza e compreensão para com todos, prestando de boa mente informações aos que se interessem por elas, auxiliando as crianças, os enfermos e as pessoas fatigadas em meio ao trânsito público, nesse ou naquele mister.

Alguns instantes de solidariedade semeiam simpatia e júbilo para sempre.

Coibir-se de provocar alarido na multidão, por meio de gritos ou brincadeiras inconvenientes, mantendo silêncio e respeito, junto às residências particulares, e justa veneração diante dos hospitais e das escolas, dos templos e dos presídios.
A elegância moral é o selo vivo da educação.

Abolir o divertimento impiedoso com os mutilados, com os enfermos mentais, com os mendigos e com os animais que nos surjam à frente.
Os menos felizes são credores de maior compaixão.

Proteger, com desvelo, caminhos e jardins, monumentos e pisos, árvores e demais recursos de beleza e conforto, dos lugares onde estiver.
O logradouro público é salão de visita para toda a comunidade.

Vede prudentemente como andais. — PAULO.

(EFÉSIOS, 5:15.)

7
Em viagem

Distribuir, por onde viajar, exortações de alegria e esperança com quantos lhe partilhem o itinerário.
O verdadeiro espírita jamais perde oportunidade de fazer o bem.

Tratar generosamente os companheiros do caminho.
A qualidade da fé que alimentamos transparece em toda ação.

Ceder, dentro das possibilidades naturais, as melhores posições nas viaturas aos companheiros mais necessitados.
Um gesto simples define uma causa.

Sem esquecer os próprios objetivos, prever com estudo judicioso e minudente os percalços e as metas da viagem.
A previdência exprime vigilância.

Nas aproximações afetivas, comuns àqueles que viajam, fixar demonstrações de otimismo para que a tristeza não prejudique a obra da confiança.
O otimismo gera paz e simpatia.

Na atenção devida aos companheiros, cuidar com estima e apreço de todas as encomendas, recados e notícias de que seja portador.

O intercâmbio amigo destrói o insulamento.

Não se esquecer do respeito, da gentileza e da cordialidade com que se devem tratar indistintamente funcionários e servidores em veículos, hotéis, repartições e lugares públicos.

Aquele que anda, imprime sinais por onde passa.

Andai como filhos da luz. — Paulo.

(Efésios, 5:8.)

8
No trabalho

Desde que se encontre em condições orgânicas favoráveis, dedicar-se ao exercício constante de uma profissão nobre e digna.

O engrandecimento da vida exige o tributo individual ao trabalho.

Situar em posições distintas as próprias tarefas diante da família e da profissão, da Doutrina que abraça e da coletividade a que deve servir, atendendo a todas as obrigações com o necessário equilíbrio.

O dever, lealmente cumprido, mantém a saúde da consciência.

Examinar os temas de serviço que lhe digam respeito, para não estagnar os próprios recursos na irresponsabilidade destrutiva ou na rotina perniciosa.

Da busca incessante de perfeição procede a competência real.

Ajudar os colegas de trabalho e compreendê-los, contribuindo para a honorabilidade da classe a que pertença.

O espírita responde por sua qualificação nos múltiplos setores da experiência.

Cultuar a caridade nas tarefas profissionais, inclusive naquelas que se refiram às transações do comércio.
O utilitarismo humano é uma ilusão como as outras.

Jamais prevalecer-se das possibilidades de que disponha no movimento espírita para favoritismos e vantagens na esfera profissional.
Quem engana a própria fé perde a si mesmo.

Em nenhuma ocasião desprezar as ocupações de qualquer natureza, desde que nobres e úteis, conquanto humildes e anônimas.
O trabalho recebe valor pela qualidade dos seus frutos.

Meu Pai trabalha até agora, e eu trabalho também. — JESUS.

(JOÃO, 5:17.)

9
Na sociedade

Desistir de somente aparentar propósitos de evangelização, mas reformar-se efetivamente no campo moral, não se submetendo a qualquer hábito menos digno, ainda mesmo quando consagrado por outrem.

A evolução requer da criatura a necessária dominação sobre o meio em que nasceu.

Perdoar sempre as possíveis e improcedentes desaprovações sociais à sua fé, confessando, quando preciso for, a sua qualidade religiosa, principalmente por meio da boa reputação e da honradez que lhe exornam o caráter.

Cada Espírito responde por si mesmo.

Libertar-se das injunções sociais que funcionem em detrimento da fé que professa e desapegar-se do "desculpismo" sistemático com que possa acomodar-se a qualquer atitude menos feliz.

A negligência provoca desperdícios irreparáveis.

Afastar-se dos lugares viciosos com discrição e prudência, sem crítica, nem desdém, somente relacionando-se com eles para emprestar-lhes colaboração fraterna a favor dos necessitados.

O cristão sabe descer à furna do mal, socorrendo-lhe as vítimas.

Em injunção alguma, considerar ultrapassadas ou ridículas as práticas religiosas naturais do Espiritismo, como meditar, orar ou pregar.

A Doutrina Espírita é uma só em todas as circunstâncias.

Tributar respeito aos companheiros que fracassaram em tarefas do coração.

Há lutas e dores que só o Juiz supremo pode julgar em sã consciência.

Atender aos supostos felizes ou infelizes, cultos e incultos, com respeito e bondade, distinção e cortesia.

A condição social é apenas apresentação passageira e todos os papéis são permutáveis na sucessão das existências.

Sigamos, pois, as coisas que contribuem para a paz e para a edificação de uns para com os outros. — Paulo.

(Romanos, 14:19.)

— 10 —
NOS EMBATES POLÍTICOS

Situar em posição clara e definida as aspirações sociais e os ideais espíritas cristãos, sem confundir os interesses de César com os deveres para com o Senhor.

Só o Espírito possui eternidade.

Distanciar-se do partidarismo extremado.

Paixão em campo, sombra em torno.

Em nenhuma oportunidade transformar a tribuna espírita em palanque de propaganda política, nem mesmo com sutilezas comovedoras em nome da caridade.

O despistamento favorece a dominação do mal.

Cumprir os deveres de cidadão e eleitor, escolhendo os candidatos aos postos eletivos, segundo os ditames da própria consciência, sem, contudo, enlear-se nas malhas do fanatismo de grei.

O discernimento é caminho para o acerto.

Repelir acordos políticos que, com o empenho da consciência individual, pretextem defender os princípios doutrinários, ou aliciar prestígio social para a Doutrina em troca de votos ou solidariedade a partidos e candidatos.

O Espiritismo não pactua com interesses puramente terrenos.

―――――♦―――――

Não comerciar com o voto dos companheiros de Ideal, sobre quem a sua palavra ou cooperação possam exercer alguma influência.

A fé nunca será produto para mercado humano.

―――――♦―――――

Por nenhum pretexto condenar aqueles que se acham investidos com responsabilidades administrativas de interesse público, mas sim orar em favor deles, a fim de que se desincumbam satisfatoriamente dos compromissos assumidos.

Para que o bem se faça, é preciso que o auxílio da prece se contraponha ao látego da crítica.

―――――♦―――――

Impedir palestras e discussões de ordem política nas sedes das instituições doutrinárias, não olvidando que o serviço de evangelização é tarefa essencial.

A rigor, não há representantes oficiais do Espiritismo em setor algum da política humana.

―――――♦―――――

Nenhum servo pode servir a dois senhores. — JESUS.

―――――♦―――――

(LUCAS, 16:13.)

— 11 —
NO TEMPLO

Entrar pontualmente no templo espírita para tomar parte das reuniões, sem provocar alarido ou perturbações.

O templo é local previamente escolhido para encontro com as Forças superiores.

Dedicar a melhor atenção aos doutrinadores, sem conversação, bocejo ou tosse bulhenta, para que seja mantido o justo respeito ao lar da oração.

Os atos da criatura revelam-lhe os propósitos.

Evitar aplausos e manifestações outras, as quais, apesar de interpretarem atitudes sinceras, por vezes geram desentendimentos e desequilíbrios vários.

O silêncio favorece a ordem.

Com espontaneidade, privar-se dos primeiros lugares no auditório reservando-os para visitantes e pessoas fisicamente menos capazes.

O exemplo do bem começa nos gestos pequeninos.

Conduta espírita

Coibir-se de evocar a presença de determinada entidade, no curso das sessões, aceitando, sem exigência, os ditames da Esfera superior no que tange ao bem geral.

A harmonia dos pensamentos condiciona a paz e o progresso de todos.

Acostumar-se a não confundir preguiça ou timidez com humildade, abraçando os encargos que lhe couberem com desassombro e valor.

A disposição de servir, por si só, já simplifica os obstáculos.

Desaprovar a conservação de retratos, quadros, legendas ou quaisquer objetos que possam ser tidos na conta de apetrechos para ritual, tão usados em diversos meios religiosos.

Os aparatos exteriores têm cristalizado a fé em todas as civilizações terrenas.

Oferecer a tribuna doutrinária apenas a pessoas conhecidas dos irmãos dirigentes da Casa, para não acumpliciar-se, inadvertidamente, com pregações de princípios estranhos aos postulados espíritas.

Quem se ilumina recebe a responsabilidade de preservar a luz.

Nas reuniões doutrinárias, jamais angariar donativos por meio de coletas, peditórios ou vendas de tômbolas,[2] à vista dos inconvenientes que apresentam, de vez que tais expedientes podem ser tornados a conta de pagamento por benefícios.

---

[2] N.E.: O mesmo que rifas.

A pureza da prática da Doutrina Espírita deve ser preservada a todo custo.

Porque onde estiverem dois ou três reunidos em meu nome, aí estou eu no meio deles. — Jesus.

(Mateus, 18:20.)

12

NA OBRA ASSISTENCIAL

Pelo menos uma vez por semana, cumprir o dever de dedicar-se à assistência, em favor dos irmãos menos felizes, visitando e distribuindo auxílios a enfermos e lares menos aquinhoados.

Quem ajuda hoje amanhã será ajudado.

Prestar serviço espiritual e material nas casas assistenciais de internação coletiva, sem perceber[3] remunerações e sem criar constrangimento às pessoas auxiliadas.

Só impõe restrições ao bem quem se acomoda com o mal.

Na casa assistencial de caráter espírita, alimentar a simplicidade doutrinária, desistindo da exibição de quaisquer objetos, construções ou medidas que expressem supérfluo ou luxo.

O conforto excessivo humilha as criaturas menos afortunadas.

---

[3] N.E.: No sentido de receber.

Viver em familiaridade respeitosa com todos, desde o servo menor até o dirigente mais responsável e categorizado, nos lares e escolas, hospitais e postos de socorro fraterno.

A humildade assegura a visita contínua dos Emissários do Senhor.

———

Jamais reter, inutilmente, excessos no guarda-roupa e na despensa, objetos sem uso e reservas financeiras que podem estar em movimento nos serviços assistenciais.

Não há bens produtivos em regime de estagnação.

———

Converter em socorro ou utilidades, para os menos felizes, relíquias e presentes, joias e lembranças afetivas de familiares e amigos desencarnados, ciente de que os valores materiais sem proveito, mantidos em nome daqueles que já partiram, representam para eles amargo peso na consciência.

Posse inútil, grilhão mental.

———

Seja qual for o pretexto, nunca permitir que as instituições espíritas venham a depender econômica, moral ou juridicamente de pessoa ou organização meramente política, de modo a evitar que sejam prejudicadas em sua liberdade de ação e em seu caráter impessoal.

A obra espírita cristã não se compadece com qualquer cativeiro.

———

Sempre que os movimentos doutrinários, em particular os de assistência social, envolvam a aceitação de muitos donativos, apresentar periodicamente os quadros estatísticos dos recebimentos e das distribuições, como satisfação justa e necessária aos cooperadores.

O desejo de acertar aumenta o crédito de confiança.

Organizar a diretoria e o corpo administrativo das instituições assistenciais exclusivamente com aqueles companheiros que se eximam de perceber[4] ordenados, laborando apenas com finalidade cristã, gratuitamente.

O trabalho desinteressado sustenta a dignidade e o respeito nas boas obras.

E quanto fizerdes, por palavras ou por obras, fazei tudo em nome do Senhor Jesus, dando por Ele graças a Deus, o Pai. — PAULO.

(COLOSSENSES, 3:17.)

---

[4] N.E.: No sentido de receber.

13
Na propaganda

Escudar-se na humildade constante, ao desenvolver qualquer atividade de propaganda doutrinária, evitando alarde, sensacionalismo, demonstrações publicitárias pretensiosas ou métodos de ação suscetíveis de perturbar a tranquilidade pública.
Sem orientação segura, não há propaganda produtiva.

Com critério e temperança, estender a propaganda libertadora dos postulados espíritas até o recesso das penitenciárias e das colônias de isolamento sanitário, sem depreciar crenças ou sentimentos.
Os mais doentes requerem maior ajuda.

Incentivar o intercâmbio fraterno entre as pessoas e as organizações doutrinárias, por meio de cartas e publicações, livros e mensagens, visitas e certames especializados, buscando a unificação das tarefas e o esclarecimento comum.
A permuta de experiências equilibra o progresso geral.

Pelo rádio ou pela imprensa leiga, não se estender demasiadamente, a fim de não afastar o aprendiz incipiente.
A Doutrina deve ser ministrada em pequenas porções.

Para não se desviar das finalidades espíritas, selecionar, com ponderação e bom senso, os meios usados na propaganda, mormente aqueles que se relacionem com atividades comerciais ou mundanas.
Torna-se inútil a elevação dos objetivos sempre que haja rebaixamento moral nos meios.

Usar com prudência ou substituir toda expressão verbal que indique costumes, práticas, ideias políticas, sociais ou religiosas contrárias ao pensamento espírita, quais sejam sorte, acaso, sobrenatural, milagre e outras, preferindo-se, em qualquer circunstância, o uso da terminologia doutrinária pura.
Uma palavra inadequada pode macular a bandeira mais nobre.

Arredar de si qualquer ansiedade no tocante à modificação rápida do ponto de vista dos companheiros.
A fé significa um prêmio da experiência.

Conquanto precisemos batalhar incansavelmente no esclarecimento geral, usando processos justos e honestos, não esquecer que a propaganda principal é sempre aquela desenvolvida pelos próprios atos da criatura, por meio da exemplificação eloquente de nossa reforma íntima, nos padrões do Evangelho.
A Doutrina Espírita prescinde do proselitismo de ocasião.

André Luiz

É necessário que Ele cresça e que eu diminua. — JOÃO BATISTA.

(JOÃO, 3:30.)

14
Na tribuna

Palestrar com naturalidade, governando as próprias emoções, sem azedume, sem nervosismo e sem momices, fugindo de prelecionar mais que o tempo indicado no horário previsto.
A palavra revela o equilíbrio.

Calar qualquer propósito de destaque, silenciando exibições de conhecimentos, e ajustar-se à Inspiração superior, comentando as lições sem fugir ao assunto em pauta, usando simplicidade e precatando-se contra a formação da dúvida nos ouvintes.
Cada pregação deve harmonizar-se com o entendimento do auditório.

Respeitando pessoas e instituições nos comentários e nas referências, nunca estabelecer paralelos ou confrontos suscetíveis de humilhar ou ferir.
Verbo sem disciplina gera males sem conta.

Sustentar a dignidade espírita diante das assembleias, abstendo-se de historietas impróprias ou anedotas reprováveis.

O orador é responsável pelas imagens mentais que plasme nas mentes que o ouvem.

Nas conversações, não se reportar abusiva e intempestivamente a fatos e estudos doutrinários de entendimento difícil, devendo selecionar oportunidades, quanto a pessoas e ambientes, para tratar de temas delicados.

A irreflexão é também falta de caridade.

Manter-se inalterável durante a alocução, à face de qualquer situação imprevista.

Os momentos delicados desenvolvem a nossa capacidade de auxiliar.

Procurar abolir, em suas palestras, os vocábulos impróprios, as expressões pejorativas e os termos da gíria das ruas.

O culto da caridade inclui a palavra em todas as suas aplicações.

Sempre que possível, preferir o uso de verbos e pronomes na primeira pessoa do plural, em vez de na primeira pessoa do singular, a fim de que não se isole da condição dos companheiros naturais do aprendizado, com quem distribui avisos e exortações.

Somos todos necessitados de regeneração e de luz.

Não saia da vossa boca nenhuma palavra torpe, mas só a que for boa para promover a edificação, para que dê graça aos que a ouvem. — PAULO.

(EFÉSIOS, 4:29.)

— 15 —
NA IMPRENSA

Escrever com simplicidade e clareza, concisão e objetividade, esforçando-se pela revisão severa e incessante, quanto ao fundo e à forma, de originais que devam ser entregues ao público.

O patrimônio inestimável dos postulados espíritas está empenhado em nossas mãos.

———

Empregar com parcimônia e discernimento a força da imprensa, não atacando pessoas e instituições, para que o escândalo e o estardalhaço não encontrem pasto em nossas fileiras.

O comentário desairoso desencadeia a perturbação.

———

Selecionar atentamente os originais recebidos para publicação, em prosa e verso, de autores encarnados ou de origem mediúnica, segundo a correção que apresentarem quanto à essência doutrinária e à nobreza da linguagem.

Sem o culto da pureza possível não chegaremos à perfeição.

———

Sistematicamente, despersonalizar, ao máximo, os conceitos e as colaborações, convergindo para Jesus e para o Espiritismo o interesse dos leitores.

O personalismo estreito ensombra o serviço.

Purificar, quando não se puder abolir, o teor dos anúncios comerciais e das notícias de caráter mundano.

A imprensa espírita cristã representa um veículo de disseminação da verdade e do bem.

Toda escritura divinamente inspirada é proveitosa [...]. — Paulo.

(II Timóteo, 3:16.)

16
NA RADIOFONIA

Divulgar, em cada programa de rádio, televisão, ou programas outros de expansão doutrinária, conceitos e páginas das obras fundamentais do Espiritismo.
A base é indispensável em qualquer edificação.

Por nenhum motivo desprezar o apuro e a melhoria dos processos técnicos no aprimoramento constante das programações, a fim de não prejudicar a elevação do ensino.
O pensamento correto sofre influência da forma errônea por que é veiculado.

Nos comentários, palestras e citações, esquivar-se de alusões ofensivas ou desrespeitosas aos direitos e às ideias alheias, especialmente àquelas que se refiram às crenças religiosas e aos interesses coletivos.
A boca invigilante, muitas vezes, discorrendo sobre o amor, condena e fere.

Recordar que a matéria radiofonizada deve obedecer ao critério da simplicidade e do respeito, em correlação com fatos comuns e atuais, clareando-se os temas obscuros ou que exijam maior esforço de compreensão.

Os radiouvintes possuem índices culturais diversos, professando todas as religiões.

―――――

Ao elaborar programas radiofônicos, variar os assuntos, preferindo a irradiação de páginas breves.

O interesse dos radiouvintes depende da qualidade das irradiações.

―――――

Declarar a qualidade doutrinária das programações, sem disfarces sutis ou mesmo poéticos, com lealdade à própria fé.

Sem definição declarada, ninguém vive fiel a si memo.

―――――

Comunicar sinceridade e sentimento aos conceitos que irradia, jamais apresentando estudos e páginas doutrinárias, pelas emissoras, de modo automático, sem meditar no que esteja falando ou lendo para os ouvidos alheios.

Quem sente o que diz vive o que pensa.

―――――

Tu, porém, fala o que convém à sã doutrina.— PAULO.

―――――

(TITO, 2:1.)

— 17 —
Nos conclaves doutrinários

Somente empreender conclaves doutrinários como iniciativas de aproximação e planejamento de trabalho, a serem naturalmente entrosadas com as organizações centrais e regionais, responsáveis pela marcha evolutiva do Espiritismo.

Não há ordem sem disciplina.

Escolher como representantes de entidades e instituições, nos certames, os companheiros de boa vontade que sejam, de fato, competentes quanto aos objetivos doutrinários visados.

A aptidão de servir é metade do êxito.

Participar com seriedade dos conclaves espíritas, sem procurar diletantismo ou passatempo, sentindo-os como deveres, em vez de tê-los simplesmente à conta de divertimento e excursão turística.

O tempo não volta.

Dignificar a hospitalidade de companheiros que oferecem ao conclavista a intimidade do próprio lar, mantendo-se com firmeza no trabalho a que foi chamado.

Conduta espírita

A fidelidade ao dever expressa nobreza de consciência.

Abster-se de subvenções governamentais de qualquer procedência para serem aplicadas em movimentos exclusivamente doutrinários que não apresentem características de assistência social.
Quem sabe suportar as próprias responsabilidades dá testemunho de fé.

Respeitar os atos religiosos dos adeptos de outras crenças, evitando querelas e desentendimentos na execução dos programas traçados para os conclaves doutrinários.
Com Jesus, só encontramos motivos para ajudar.

Fixar não somente as lembranças afetivas ou alegres, mas, sobretudo, as resoluções, experiências e avisos do certame de que participe.
Quem guarda o ensinamento, aprende a lição.

Difundir, entre os núcleos interessados, as resoluções práticas das concentrações doutrinárias, de modo a não deixá-las em reduzido círculo de companheiros ou na poeira do esquecimento.
A continuidade do bem garante o melhor.

Fazei todas as coisas sem murmurações nem contendas. — Paulo.

(Filipenses, 2: 14.)

18
Perante nós mesmos

Vigiar as próprias manifestações, não se julgando indispensável e preferindo a autocrítica ao autoelogio, recordando que o exemplo da humildade é a maior força para a transformação das criaturas.
Toda presunção evidencia afastamento do Evangelho.

Agir de tal modo a não permitir, mesmo indiretamente, atos que signifiquem profissionalismo religioso, quer no campo da mediunidade, quer na direção de instituições, na redação de livros e periódicos, em traduções e revisões, excursões e visitas, pregações e outras quaisquer tarefas.
A exploração da fé anula os bons sentimentos.

Render culto à amizade e à gentileza, estendendo-as, quanto possível, aos companheiros e às organizações, mas sem escravizar-se ao ponto de contrariar a própria verdade, em matéria de Doutrina, para ser agradável aos outros.
O Espiritismo é caminho libertador.

Recusar várias funções simultâneas nos campos social e doutrinário, para não se ver na contingência de prejudicar a todas, compreendendo, ainda, que um pedido de demissão, em tarefa espírita, quase sempre equivale a ausência lamentável.
O afastamento do dever é deserção.

Efetuar compromissos apenas no limite das próprias possibilidades, buscando solver os encargos assumidos, inclusive os relacionados com as simples contribuições e os auxílios periódicos às instituições fraternais.
Palavra empenhada, lei no coração.

Libertar-se das cadeias mentais oriundas do uso de talismãs e votos, pactos e apostas, artifícios e jogos de qualquer natureza, enganosos e prescindíveis.
O espírita está informado de que o acaso não existe.

Esquivar-se do uso de armas homicidas, bem como do hábito de menosprezar o tempo com defesas pessoais, seja qual for o processo em que se exprimam.
O servidor fiel da Doutrina possui, na consciência tranquila, a fortaleza inatacável.

Examinai-vos a vós mesmos, se permaneceis na fé; provai-vos a vós mesmos. — Paulo.

(II Coríntios, 13:5.)

19
Perante os parentes

Desempenhar todos os justos deveres para com aqueles que lhe comungam as teias da consanguinidade.

Os parentes são os marcos vivos das primeiras grandes responsabilidades do Espírito encarnado.

Intensificar os recursos de afeto, compreensão e boa vontade para os afins mais próximos que não lhe compreendam os ideais.

O lar constitui cadinho redentor das almas endividadas.

Dilatar os laços da estima além do círculo da parentela.

A humanidade é a nossa grande família.

Acima de todas as injunções e contingências de cada dia, conservar a fidelidade aos preceitos espíritas cristãos, sendo cônjuge generoso e melhor pai, filho dedicado e companheiro benevolente.

Cada semelhante nosso é degrau de acesso à Vida superior, se soubermos recebê-lo por verdadeiro irmão.

Melhorar, sem desânimo, os contatos diretos e indiretos com os pais, irmãos, tios, primos e demais parentes, nas lides do mundo, para que a Lei não venha a cobrar-lhe novas e mais enérgicas experiências em encarnações próximas.

O cumprimento do dever, criado por nós mesmos, é lei do mundo interior a que não poderemos fugir.

Imprimir em cada tarefa diária os sinais indeléveis da fé que nutre a vida, iniciando todas as boas obras no âmbito estreito da parentela corpórea.

Temos, na família consanguínea, o teste permanente de nossas relações com a humanidade.

Mas se alguém não tem cuidado dos seus e principalmente dos da sua família, negou a fé e é pior do que o infiel. — PAULO.

(I TIMÓTEO, 5:8.)

20
Perante os companheiros

Guardar comunicabilidade e atenção ante os companheiros de luta, ainda mesmo para com aqueles que se mostrem distantes do Espiritismo.

Todos somos estudantes na grande escola da Vida.

Respeitar as ideias e as pessoas de todos os nossos irmãos, sejam eles nossos vizinhos ou não, estejam presentes ou ausentes, sem nunca descer ao charco da leviandade que gera a maledicência.

Quem reprova alguém conosco, decerto que nos reprova perante alguém.

Quando emprestar objetos comuns, não porfiar sobre a sua restituição, sustentando-se, firme, no propósito de auxiliar os outros de boa mente naquilo em que lhes possa ser útil.

Desapego é alicerce de elevação.

Perdoar sem condições àqueles que não nos correspondam às esperanças ou que direta ou indiretamente nos prejudiquem, inclusive aos obsessores e a outros irmãos infelizes.

Perdão nas almas, luz no caminho.

Fugir de elogiar companheiros que estejam agindo de conformidade com as nossas melhores aspirações, para não lhes criar empecilhos à caminhada enobrecedora, embora nos constitua dever prestar-lhes assistência e carinho para que mais se agigantem nas boas obras.
O elogio é sempre dispensável.

Suprimir toda crítica destrutiva na comunidade em que aprende e serve.
A Seara de Jesus pede trabalhadores decididos a auxiliar.

Coibir-se de qualquer acumpliciamento com o mal, a título de solidariedade nesse ou naquele sentido.
Quem tisna a consciência desce à perturbação.

Nunca fazer acepção de pessoas e nem demonstrar cordialidade fraterna somente em circunstâncias que lhe favoreçam conveniências e interesses materiais.
A Lei divina registra o móvel de toda ação.

Nisto todos conhecerão que sois meus discípulos: se vos amardes uns aos outros. — JESUS.

(JOÃO, 13:35.)

— 21 —
Perante a criança

Ver no coração infantil o esboço da geração próxima, procurando ampará-lo em todas as direções.
Orientação da infância, profilaxia do futuro.

Solidarizar-se com os movimentos que digam respeito à assistência à criança, melhorando métodos e ampliando tarefas.
Educar os pequeninos é sublimar a humanidade.

Colaborar decididamente na recuperação das crianças desajustadas e enfermas, pugnando pela diminuição da mortalidade infantil.
Na meninice corpórea, o Espírito encontra ensejo de renovar as bases da própria vida.

Os pais espíritas podem e devem matricular os filhos nas escolas de moral espírita cristã, para que os companheiros recém-encarnados possam iniciar com segurança a nova experiência terrena.
Os pais respondem espiritualmente como cicerones dos que ressurgem no educandário da carne.

Distribuir incessantemente as obras infantis da literatura espírita, de autores encarnados e desencarnados, colaborando de modo efetivo na implantação essencial da Verdade eterna.

O livro edificante vacina a mente infantil contra o mal.

———

Observar quando se deve ou não conduzir as crianças a reuniões doutrinárias.

A ordem significa artigo de lei para toda idade.

———

Eximir-se de prometer, às crianças que estudam, quaisquer prêmios ou dádivas como recompensa ou (falso) estímulo pelo êxito que venham a atingir no aproveitamento escolar, para não lhes viciar a mente.

A noção de responsabilidade nos deveres mínimos é o ponto de partida para o cumprimento das grandes obrigações.

———

Não permitir que as crianças participem de reuniões ou festas que lhes conspurquem os sentimentos e, em nenhuma oportunidade, oferecer-lhes presentes suscetíveis de incentivar-lhes qualquer atitude agressiva ou belicosa, tanto em brinquedos quanto em publicações.

A criança sofre de maneira profunda a influência do meio.

———

Furtar-se de incrementar o desenvolvimento de faculdades mediúnicas em crianças, nem lhes permitir a presença em atividades de assistência a desencarnados, ainda mesmo quando elas apresentem perturbações de origem mediúnica, circunstância esta em que devem receber auxílio por meio da oração e do passe magnético.

Somente pouco a pouco, o Espírito se vai inteirando das realidades da encarnação.

Em toda a divulgação, certame ou empreendimento doutrinário, não esquecer a posição singular da educação da infância na Seara do Espiritismo, criando seções e programas dedicados à criança em particular.
Sem boa semente, não há boa colheita.

Deixai vir a mim os meninos, e não os impeçais, porque deles é o reino de Deus. — JESUS.

(LUCAS, 18:16.)

22
Perante os doentes

Criar em torno dos doentes uma atmosfera de positiva confiança, por meio de preces, vibrações e palavras de carinho, fortaleza e bom ânimo.

O trabalho de recuperação do corpo fundamenta-se na reabilitação do Espírito.

———

Mesmo quando sejam ligados estreitamente ao coração, não se deixar abater diante dos enfermos, mas sim lhes apresentar elevação de sentimento e fé, fugindo a exclamações de pena ou tristeza.

O desespero é fogo invisível.

———

Discorrer sempre que necessário sobre o papel relevante da dor em nosso caminho, sem quaisquer lamentações infelizes.

A resignação nasce da confiança.

———

Em nenhuma circunstância garantir a cura ou marcar o prazo para o restabelecimento completo dos doentes, em particular dos obsidiados, sob pena de cair em leviandade.

Antes de tudo, vige a Vontade sábia do Pai excelso.

———

Dar atenção e carinho aos corações angustiados e sofredores, sem falar ou agir de modo a humilhá-los em suas posições e convicções, buscando atender-lhes as necessidades físicas e morais dentro dos recursos ao nosso alcance.

A melhoria eficaz das almas deita raízes na solidariedade perfeita.

Procurar com alegria, ao serviço da própria regeneração, o convívio prolongado com parentes ou companheiros atacados pela invalidez, pelo desequilíbrio ou pelas enfermidades pertinazes.

O antídoto do mal é a perseverança no bem.

Em verdade vos digo que, quando o fizestes a um destes meus pequeninos irmãos, a mim mesmo o fizestes. — JESUS.

(MATEUS, 25:40.)

23
PERANTE OS PROFITENTES DE OUTRAS RELIGIÕES

Estimar e reverenciar os irmãos de outros credos religiosos. O sarcasmo não edifica.

Não se exasperar em oportunidade alguma, ainda mesmo pretextando defesa dos postulados religiosos que lhe alimentam o coração, a fim de evitar o vírus da cólera e as incursões das forças inferiores no próprio íntimo.

A exasperação leva ao desequilíbrio e à queda.

Aproveitar o tempo e as energias, fugindo às discussões estéreis em torno das origens da Vida e do universo ou sobre tópicos fundamentais do Espiritismo.

Espíritos existem que se esforçam para não crer em sua própria existência.

Em nenhuma circunstância, pretender conduzir alguém ou alguma instituição, dessa ou daquela prática religiosa, à humilhação e ao ridículo.

Conduta espírita

O Sol, em nome de Deus, ilumina o passo de todas as criaturas.

———

Suportar construtivamente as manifestações constantes de cultos exóticos e estranhos à simplicidade e pureza do Espiritismo, oferecendo, tanto quanto possível, auxílio e cooperação, sem pretensiosas exigências aos companheiros que a tais cultos se prendem.

Muitos irmãos distantes serão, em futuro próximo, excelentes cultores da Doutrina Espírita.

———

A título de preservar o corpo doutrinário do Espiritismo, ou de defender a Verdade, não faltar com a compreensão espírita cristã nem se agarrar a conceituações radicais e inamovíveis.

Quando apaixonado e desmedido, o zelo obscurece a razão.

———

Sistematicamente, não impor ou forçar a transformação religiosa dos irmãos alheios à fé que lhe consola o coração.

Toda imposição, em matéria religiosa, revela fanatismo.

———

Silenciar todo impulso a polêmicas com irmãos aprisionados a caprichos de natureza religiosa.

Discussão, em bases de ironia e azedume, é pancadaria mental.

———

Irmãos, não vos queixeis uns contra os outros, para que não sejais condenados.

———

(Tiago, 5:9.)

— 24 —
Perante os espíritos sofredores

Abster-se da realização de sessões públicas para assistência a desencarnados sofredores, uma vez que semelhante procedimento é falta de caridade para com os próprios Espíritos socorridos, que sentem, torturados, o comentário crescente e malsão em torno de seu próprio infortúnio.
Ainda mesmo nas aparências do bem, o mal é sempre mal.

Evitar, quanto possível, sessões sistematizadas de desobsessão, sem a presença de dirigentes que reúnam, em si, moral evangélica e suficiente conhecimento doutrinário.
Quanto mais luz, mais possibilidade de iluminação.

Falar aos comunicantes perturbados e infelizes, com dignidade e carinho, entre a energia e a doçura, detendo-se exclusivamente no caso em pauta.
Sabedoria no falar, ciência de ensinar.

Sustar múltiplas manifestações psicofônicas ao mesmo tempo, no sentido de preservar a harmonia da sessão, atendendo a cada caso por sua vez, em ambiente de concórdia e serenidade.

A ordem prepara o aperfeiçoamento.

Em oportunidade alguma polemizar, condenar ou ironizar, no contato com os irmãos infelizes da Espiritualidade.
A azedia não cura o desespero.

Oferecer a intimidade fraterna aos comunicantes, aplicando o carinho da palavra e o fervor da prece, na execução da enfermagem moral que lhes é necessária.
A familiaridade estende os valores da confiança.

Suprimir indagações no trato com as entidades infortunadas, nem sempre em dia com a própria memória, como acontece a qualquer doente grave encarnado.
A enfermagem imediata dispensa interrogatório.

Mas é grande ganho a piedade com contentamento. — Paulo.

(I Timóteo, 6:6.)

— 25 —
Perante os mentores espirituais

Ponderar com especial atenção as comunicações transmitidas como sendo da autoria de algum vulto célebre e somente acatá-las pelos conceitos com que se enquadrem à essência doutrinária do Espiritismo.

A luz não se compadece com a sombra.

Abolir a prática da invocação nominal dessa ou daquela entidade, em razão dos inconvenientes e da desnecessidade de tal procedimento em nossos dias, buscando identificar os benfeitores e amigos espirituais pelos objetivos que demonstrem e pelos bens que espalhem.

O fruto dá notícia da árvore que o produz.

Apagar a preocupação de estar em permanente intercâmbio com os Espíritos protetores, roubando-lhes tempo para consultá-los a respeito de todas as pequeninas lutas da vida, inclusive problemas que deva e possa resolver por si mesmo.

O tempo é precioso para todos.

Conduta espírita

Acautelar-se contra a cega rendição à vontade exclusiva desse ou daquele Espírito, e não se viciar em ouvir constantemente os desencarnados, na senda diária, sem maior consideração para com os ensinamentos da própria Doutrina.

Responsabilidade pessoal, patrimônio intransferível.

Honrar o nome e a memória dos mentores que lhe tenham sido companheiros ou parentes consanguíneos na Terra, abstendo-se de endereçar-lhes petitórios desregrados ou descabidas exigências.

A comunhão com os bons cria para nós o dever de imitá-los.

Furtar-se de crer em privilégios e favores particulares para si, tão somente porque esse ou aquele mentor lhe haja dirigido a palavra pessoal de encorajamento e carinho.

Auxílio dilatado, compromisso mais amplo.

Amados, não creiais em todo Espírito, mas provai se os Espíritos são de Deus.

(I JOÃO, 4:1.)

26
Perante a oração

Proferir a prece inicial e a prece final nas reuniões doutrinárias, facilitando-se, dessa forma, a ligação com os benfeitores da Vida maior.

A prece entrelaça os Espíritos.

Quanto possível, abandonar as fórmulas decoradas e a leitura maquinal das "preces prontas" e viver preferentemente as expressões criadas de improviso, em plena emotividade, na exaltação da própria fé.

Há diferença fundamental entre orar e declamar.

Abster-se de repetir em voz alta as preces que são proferidas por amigos outros nas reuniões doutrinárias.

A oração, acima de tudo, é sentimento.

Prevenir-se contra a afetação e o exibicionismo ao proferir essa ou aquela prece, adotando concisão e espontaneidade em todas elas, para que não se façam veículo de intenções especiosas.

Fervor d'alma, luz na prece.

Durante os colóquios da fé, recordar todos aqueles a quem tenhamos melindrado ou ferido, ainda mesmo inconscientemente, rogando-lhes, em silêncio e a distância, o necessário perdão de nossas faltas.

Os resultados da oração, bem como os resultados do amor, são ilimitados.

Cancelar as solicitações incessantes de benefícios para si mesmo, centralizando o pensamento na intercessão em favor dos menos felizes.

Quem ora em favor dos outros ajuda a si próprio.

Controlar a modulação da voz nas preces públicas, para fugir à teatralidade e à convenção.

O sentimento é tudo.

Vigiai e orai, para que não entreis em tentação. — JESUS.

(MATEUS, 26:41.)

27
PERANTE A MEDIUNIDADE

Reprimir qualquer iniciativa tendente a assinalar a mediunidade, o médium ou os fatos mediúnicos como extraordinários ou místicos.

O intercâmbio mediúnico é acontecimento natural, e o médium é um ser humano como qualquer outro.

Certificar-se de que o exercício natural da mediunidade não exime o médium da obrigação de viver profissão honesta na sociedade a que pertence.

Não pode haver assistência digna onde não há dever dignamente cumprido.

Precaver-se contra as petições inadequadas junto à mediunidade.

Os médiuns são companheiros comuns que devem viver normalmente as experiências e as provas que lhes cabem.

Por nenhuma razão elogiar o medianeiro pelos resultados obtidos por meio dele, lembrando-se que é sempre possível agradecer sem lisonjear.

Para nós, todo o bem puro e nobre procede de Jesus Cristo, nosso Mestre e Senhor.

Ainda mesmo premido por extensas dificuldades, colocar o exercício da mediunidade acima dos eventos efêmeros e limitados que varrem constantemente os panoramas sociais e religiosos da Terra.

A mediunidade nunca será talento para ser enterrado no solo do comodismo.

Conversar sobre fenômenos mediúnicos e princípios espíritas apenas em ambientes receptivos.

Há terrenos que ainda não estão amanhados para a semeadura.

Prosseguir sem vacilações no consolo e no esclarecimento das almas, esquecendo espinheiros e pedras do vale humano, para conquistar a luz da imortalidade que fulgura nos cimos da vida.

Desenvolver-se alguém mediunicamente, a bem do próximo, é ascender em espiritualidade.

E nos últimos dias acontecerá, diz o Senhor, que do meu espírito derramarei sobre toda carne.

(Atos, 2:17.)

28
Perante o passe

Quando aplicar passes e demais métodos da terapêutica espiritual, fugir à indagação sobre resultados e jamais temer a exaustão das forças magnéticas.
O bem ajuda sem perguntar.

Lembrar-se de que, na aplicação de passes, não se fazem precisas a gesticulação violenta, a respiração ofegante ou o bocejo de contínuo, e de que nem sempre há necessidade do toque direto no paciente.
A transmissão do passe dispensa qualquer recurso espetacular.

Esclarecer os companheiros quanto à inconveniência da petição de passes todos os dias, sem necessidade real, para que esse gênero de auxílio não se transforme em mania.
É falta de caridade abusar da bondade alheia.

Proibir ruídos quaisquer, baforadas de fumo, vapores alcoólicos, tanto quanto ajuntamento de gente, ou a presença de pessoas irreverentes e sarcásticas nos recintos para assistência e tratamento espiritual.

De ambiente poluído nada de bom se pode esperar.

Interromper as manifestações mediúnicas no horário de transmissões do passe curativo.
Disciplina é alma da eficiência.

Interditar, sempre que necessário, a presença de enfermos portadores de moléstias contagiosas nas sessões de assistência em grupo, situando-os em regime de separação para o socorro previsto.
A fé não exclui a previdência.

Quando oportuno, adicionar o sopro curativo aos serviços do passe magnético, bem como o uso da água fluidificada, do autopasse, ou da emissão de força socorrista, a distância, por meio da oração.
O Bem eterno é benção de Deus à disposição de todos.

E rogava-lhe muito, dizendo: — Minha filha está moribunda; rogo-te que venhas e lhe imponhas as mãos para que sare, e viva.

(MARCOS, 5:23.)

29
Perante o fenômeno

No desenvolvimento das tarefas doutrinárias, colocar o fenômeno mediúnico em sua verdadeira posição de coadjuvante natural da convicção, considerando-o, porém, dispensável, na construção moral a que nos propomos.
A Doutrina Espírita é luz inalterável.

Conduzir as possibilidades de divulgação do Espiritismo, em qualquer setor, no trabalho da evangelização, conferindo-lhe preferência sobre a ação fenomenológica.
Ante os imperativos da responsabilidade moral, todo fenômeno é secundário.

Atingir outros estados de compreensão das verdades que nos enriquecem a fé, acatando as aspirações dos metapsiquistas, dos parapsicólogos e dos estudiosos acadêmicos em geral, sem, contudo, comprometer-se, demasiado, com os empreendimentos que lhes digam respeito.
Viver segundo o Evangelho — eis a nossa necessidade fundamental.

Jamais partilhar de assembleias espíritas visando unicamente a sucessos espetaculares.

As manifestações mediúnicas não são a base essencial do Espiritismo.

———

Descentralizar a atenção das manifestações fenomênicas havidas em reuniões de que participe, para deter-se no sentido moral dos fatos e das lições.

Na mediunidade, o fenômeno constitui o envoltório externo que reveste o fruto do ensinamento.

———

Irmãos, não sejais meninos no entendimento [...]. — PAULO.

(I CORÍNTIOS, 14:20.)

30

Perante os sonhos

Encarar com naturalidade os sonhos que possam surgir durante o descanso físico, sem preocupar-se aflitivamente com quaisquer fatos ou ideias que se reportem a eles.

Há mais sonhos na vigília que no sono natural.

Extrair sempre os objetivos edificantes desse ou daquele painel entrevisto em sonho.

Em tudo há sempre uma lição.

Repudiar as interpretações supersticiosas que pretendam correlacionar os sonhos com jogos de azar e acontecimentos mundanos, gastando preciosos recursos e oportunidades da existência em preocupação viciosa e fútil.

Objetivos elevados, tempo aproveitado.

Acautelar-se quanto às comunicações *inter vivos*, no sonho vulgar, pois, conquanto o fenômeno seja real, a sua autenticidade é bastante rara.

O Espírito encarnado é tanto mais livre no corpo denso, quanto mais escravo se mostre aos deveres que a vida lhe preceitua.

Não se prender demasiadamente aos sonhos de que recorde ou às narrativas oníricas de que se faça ouvinte, para não descer ao terreno baldio da extravagância.

A lógica e o bom senso devem presidir a todo raciocínio.

Preparar um sono tranquilo pela consciência pacificada nas boas obras, acendendo a luz da oração, antes de entregar-se ao repouso normal.

A inércia do corpo não é calma para o Espírito aprisionado à tensão.

Admitir os diversos tipos de sonhos, sabendo, porém, que a grande maioria deles se origina de reflexos psicológicos ou de transformações relativas ao próprio campo orgânico.

O Espírito encarnado e o corpo que o serve respiram em regime de reciprocidade no reino das vibrações.

E rejeita as questões loucas [...]. — PAULO.

(II TIMÓTEO, 2:23.)

— 31 —
PERANTE A PÁTRIA

Ser útil e reconhecido à nação que o afaga por filho, cumprindo rigorosamente os deveres que lhe tocam na vida de cidadão.

Somos devedores insolventes do berço que nos acolhe.

No desdobramento das tarefas doutrinárias — e salvaguardando os patrimônios morais da Doutrina —, somente recorrer aos tribunais humanos em casos prementes e especialíssimos.

Prestigiando embora a justiça do mundo, não podemos esquecer a incorruptibilidade da Justiça divina.

Situar sempre os privilégios individuais aquém das reivindicações coletivas, em todos os setores.

Ergue-se a felicidade imperecível, de todos, do pedestal da renúncia de cada um.

Cooperar com os poderes constituídos e as organizações oficiais, empenhando-se desinteressadamente na melhoria das condições da máquina governamental, no âmbito dos próprios recursos.

Um ato simples de ajuda pessoal fala mais alto que toda crítica.

Quando chamado a depor nos tribunais terrestres de julgamento, pautar-se em harmonia com os princípios evangélicos, compreendendo, porém, que os irmãos incursos em teor elevado de delinquência necessitam, muitas vezes, de justa segregação para tratamento moral, tanto quanto os enfermos graves requisitam hospitalização para o devido tratamento.
Diante das Leis divinas, somos juízes de nós mesmos.

Nunca adiar o cumprimento de obrigações para com o Estado, referendando os elevados princípios que ele esposa, buscando a quitação com o serviço militar, mesmo quando chamado a integrar as forças ativas da guerra.
Os percalços da vida surgem para cada Espírito segundo as exigências dos próprios débitos.

Expressar o patriotismo, acima de tudo, em serviço desinteressado e constante ao povo e ao solo em que nasceu.
A pátria é o ar e o pão, o templo e a escola, o lar e o seio de mãe.

Substancializar a contribuição pessoal ao Estado por meio da execução rigorosa das obrigações que lhe cabem na esfera comum.
O genuíno amor à pátria, longe de ser demagogia, é serviço proveitoso e incessante.

Dai a César o que é de César, e a Deus o que é de Deus. — JESUS.

(LUCAS, 20:25.)

— 32 —
PERANTE A NATUREZA

De alma agradecida e serena, abençoar a natureza que o acalenta, protegendo, quanto possível, todos os seres e todas as coisas na região em que respire.

A natureza consubstancia o santuário em que a sabedoria de Deus se torna visível.

Preservar a pureza das fontes e a fertilidade do solo.

Campo ajudado, pão garantido.

Cooperar espontaneamente na ampliação de pomares, tanto quanto auxiliar a arborização e o reflorestamento.

A vida vegetal é moldura protetora da vida humana.

Prevenir-se contra a destruição e o esbanjamento das riquezas da terra em explorações abusivas, quais sejam: a queima dos campos, o abate desordenado das árvores generosas e o explosivo na pesca.

O respeito à Criação constitui simples dever.

Utilizar o tesouro das plantas e das flores na ornamentação de ordem geral, movimentando a irrigação e a adubagem na preservação que lhes é necessária.

O auxílio ao vegetal exprime gratidão naquele que lhe recebe os serviços.

Eximir-se de reter improdutivamente qualquer extensão de terra sem cultivo ou sem aplicação para fins elevados.

O desprezo deliberado pelos recursos do solo significa malversação dos favores do Pai.

Aplicar as forças naturais como auxiliares terapêuticos na cura das variadas doenças, principalmente o magnetismo puro do campo e das praias, o ar livre e as águas medicinais.

Toda a farmacopeia vem dos reservatórios da natureza.

Furtar-se de mercadejar criminosamente com os recursos da natureza encontrados nas faixas de terra pelas quais se responsabilize.

O mordomo será sempre chamado a contas.

Pois somos cooperadores de Deus. — PAULO.

(I CORÍNTIOS, 3:9.)

33
PERANTE OS ANIMAIS

Abster-se de perseguir ou aprisionar, maltratar ou sacrificar animais domésticos ou selvagens, aves e peixes, a título de recreação, em excursões periódicas aos campos, lagos e rios, ou em competições obstinadas e sanguinolentas do desportismo.
Há divertimentos que são verdadeiros delitos sob disfarce.

No contato com os animais a que devote estima, governar os impulsos de proteção e carinho a fim de não cair em excessos obcecantes a pretexto de amá-los.
Toda paixão cega a alma.

Esquivar-se de qualquer tirania sobre a vida animal, não agindo com exigências descabidas para a satisfação de caprichos alimentares nem com requintes condenáveis em pesquisas laboratoriais, restringindo-se tão somente às necessidades naturais da vida e aos impositivos justos do bem.
O uso edifica, o abuso destrói.

Opor-se ao trabalho excessivo dos animais, sem lhes administrar mais ampla assistência.

A gratidão também expressa justiça.

No socorro aos animais doentes, usar os recursos terapêuticos possíveis, sem desprezar mesmo aqueles de natureza mediúnica que aplique a seu próprio favor.

A luz do bem deve fulgir em todos os planos.

Apoiar, quanto possível, os movimentos e as organizações de proteção aos animais por meio de atos de generosidade cristã e humana compreensão.

Os seres da retaguarda evolutiva alinham-se conosco em posição de necessidade ante a Lei.

Todas as vossas coisas sejam feitas com caridade. — PAULO.

(I CORÍNTIOS, 16:14.)

34
Perante o corpo

Cultivar a higiene pessoal, sustentando o instrumento físico como se ele fosse viver eternamente, preservando-se, assim, contra o suicídio indireto.

O corpo é o primeiro empréstimo recebido pelo Espírito trazido à carne.

Precatar-se contra tóxicos, narcóticos, alcoólicos[5] e contra o uso demasiado de drogas que viciem a composição fisiológica natural do organismo.

Existem venenos que agem gota a gota.

Conduzir-se de modo a não se exceder em atividades superiores à própria resistência, nem se confiar a intempestivas manifestações emocionais, que criam calamitosas depressões.

O abuso das energias corpóreas também provoca suicídio lento.

Distinguir no sexo a sede de energias superiores que o Criador concede à criatura para equilibrar-lhe as atividades,

---

[5] N.E.: Bebidas alcoólicas

sentindo-se no dever de resguardá-la contra os desvios suscetíveis de corrompê-la.

O sexo é uma fonte de bênçãos renovadoras do corpo e da alma.

Fugir de alimentar-se em excesso e evitar a ingestão sistemática de condimentos e excitantes, buscando tomar as refeições com calma e serenidade.

Grande número de criaturas humanas deixa prematuramente o plano terrestre pelos erros do estômago.

Sempre que lhe seja possível, respirar o ar livre, tomar banhos de água pura e receber o sol farto, vestindo-se com decência e limpeza, sem, contudo, prender-se à adoração do próprio corpo.

Critério e moderação garantem o equilíbrio e o bem-estar.

Por motivo algum desprezar o vaso corpóreo de que dispõe, por mais torturado que ele seja.

Na Terra, cada Espírito recebe o corpo de que precisa.

Glorificai, pois, a Deus no vosso corpo, e no vosso espírito, os quais pertencem a Deus. — PAULO.

(I CORÍNTIOS, 6:20.)

— 35 —
Perante a enfermidade

Sustentar inalteráveis a fé e a confiança, sem temor, queixa ou revolta, sempre que enfermidades conhecidas ou inesperadas lhe visitem o corpo ou lhe assediem o lar.

Cada prova tem uma razão de ser.

Com o necessário discernimento, abster-se do uso exagerado de medicamentos capazes de intoxicar a vida orgânica.

Para o serviço da cura, todo medicamento exige dosagem.

Desfazer ideias de temor ante as moléstias contagiosas ou mutilantes, usando a disciplina mental e os recursos da prece.

A força poderosa do pensamento tanto elabora quanto extingue muitos distúrbios orgânicos e psíquicos.

Sabendo que todo sofrimento orgânico é uma prova espiritual, dentro das leis cármicas, jamais recear a dor, mas aceitá-la e compreendê-la com desassombro e conformação.

A intensidade do sofrimento varia segundo a confiança na Lei divina.

Aceitar o auxílio dos missionários e obreiros da medicina terrena, não exigindo proteção e responsabilidade exclusivas dos médicos desencarnados.

A eterna Sabedoria tudo dispõe em nosso proveito.

Afirmar-se mentalmente em segurança, acima das enfermidades insidiosas que lhe possam assaltar o organismo, repelindo os pensamentos e as palavras de desespero ou cansaço, na fortaleza de sua fé.

A doença pertinaz leva à purificação mais profunda.

Aproveitar a moléstia como período de lições, sobretudo como tempo de aplicação dos valores alusivos à convicção religiosa.

A enfermidade pode ser considerada como termômetro da fé.

Vinde a mim, todos os que estais cansados e oprimidos, e eu vos aliviarei. — JESUS.

(MATEUS, 11:28.)

36
Perante a desencarnação

Resignar-se ante a desencarnação inesperada do parente ou do amigo, vendo nisso a manifestação da sábia Vontade que nos comanda os destinos.
Maior resignação, maior prova de confiança e entendimento.

Dispensar aparatos, pompas e encenações nos funerais de pessoas pelas quais se responsabilize, abolir o uso de velas e coroas, crepes e imagens, e conferir ao cadáver o tempo preciso de preparação para o enterramento ou a cremação.
Nem todo Espírito se desliga prontamente do corpo.

Emitir para os companheiros desencarnados, sem exceção, pensamentos de respeito, paz e carinho, seja qual for a sua condição.
A caridade é dever para todo clima.

Proceder corretamente nos velórios, calando anedotário e galhofa em torno da pessoa desencarnada, tanto quanto cochichos impróprios ao pé do corpo inerte.

Conduta espírita

O companheiro recém-desencarnado pede, sem palavras, a caridade da prece ou do silêncio que o ajudem a refazer-se.

Desterrar de si quaisquer conversações ociosas, tratos comerciais ou comentários impróprios nos enterros a que comparecer.
A solenidade mortuária é ato de respeito e dignidade humana.

Transformar o culto da saudade, comumente expresso no oferecimento de coroas e flores, em donativos às instituições assistenciais, sem espírito sectário, fazendo o mesmo nas comemorações e homenagens a desencarnados, sejam elas pessoais ou gerais.
A saudade somente constrói quando associada ao labor do bem.

Ajuizar detidamente as questões referentes a testamentos, resoluções e votos, antes da desencarnação, para não experimentar choques prováveis ante inesperadas incompreensões de parentes e companheiros.
O corpo que morre não se refaz.

Aproveitar a oportunidade do sepultamento para orar ou discorrer sem afetação, quando chamado a isso, sobre a imortalidade da alma e sobre o valor da existência humana.
A morte exprime realidade quase totalmente incompreendida na Terra.

Em verdade, em verdade vos digo que,
se alguém guardar a minha palavra,
nunca verá a morte. — JESUS.

(JOÃO, 8:51.)

37
Perante as fórmulas sociais

Abolir o uso dispensável do luto e dos pêsames, por motivo de funerais, tanto quanto a participação em apadrinhamentos e cerimônias ritualísticas de qualquer natureza.
O espírita não se prende a exterioridades.

Nas visitas de confraternizações, suprimir protocolos ou etiquetas pretensiosas.
A confiança pede clima familiar.

Banir dos Templos Espíritas as cerimônias que, em nome da Doutrina, visem à consagração de esponsais ou nascimentos.
O Espiritismo não pode olvidar a simplicidade cristã que ele próprio revive.

Afastar-se de festas lamentáveis, como aquelas que assinalam a passagem do carnaval, inclusive as que se destaquem pelos excessos de gula, desregramento ou manifestações exteriores espetaculares.
A verdadeira alegria não foge da temperança.

Estudar previamente e com bastante critério as apresentações de pregadores ou médiuns, bem como as homenagens a companheiros e parentes encarnados e desencarnados, para não incorrermos na exaltação da vaidade e do orgulho ou ferir a modéstia e a humildade daqueles a quem prezamos.

A lisonja é veneno em forma verbal.

Proscrever o uso de distintivos e emblemas no movimento doutrinário.

Excessiva exterioridade, afastamento da simplicidade cristã.

Dispensar sempre as fórmulas sociais criadas ou mantidas por convencionalismos ou tradições que estanquem o progresso.

Toda complexidade atrasa o relógio da evolução.

O sábado foi feito por causa do homem, e não o homem por causa do sábado. — JESUS.

(MARCOS, 2:27.)

38
Perante o tempo

Em nenhuma condição malbaratar o tempo com polêmicas e conversações estéreis, ocupações fantasistas e demasiado divertimento.
Desperdiçar tempo é esbanjar patrimônio divino.

Autodisciplinar-se em todos os cometimentos a que se proponha, revestindo-se do necessário discernimento.
Fazer muito nem sempre traduz *fazer bem*.

Fugir de chorar o passado, esforçando-se por reparar toda ação menos correta.
O passado é a raiz do presente, mas o presente é a raiz do futuro.

Afastar aflições descabidas com referência ao porvir, executando honestamente os deveres que o mundo lhe designa no minuto que passa.
O *amanhã* germinará das sementes do *hoje*.

Quanto possível, plasmar as resoluções do bem no momento em que surjam, uma vez que, posteriormente, o campo da experiência pode modificar-se inteiramente.

Ajuda menos quem tarde serve.

———◆———

Ainda que assoberbado de realizações e tarefas, jamais descurar o bem que possa fazer em favor dos outros.

Quando procuramos o bem, o próprio bem nos ensina a encontrar o "tempo de auxiliar".

———◆———

Ainda não é chegado o meu tempo, mas o vosso tempo sempre está pronto. — Jesus.

———◆———

(João, 7: 6.)

— 39 —
Perante os fatos momentosos

Em tempo algum empolgar-se por emoções desordenadas ante ocorrências que apaixonem a opinião pública, como, por exemplo, delitos, catástrofes, epidemias, fenômenos geológicos e outros quaisquer.

Acalmar-se é acalmar os outros.

Nas conversações e nos comentários acerca de notícias terrificantes, abster-se de sensacionalismo.

A caridade emudece o verbo em desvario.

Guardar atitude ponderada, à face de acontecimentos considerados escandalosos, justapondo a influência do bem ao assédio do mal.

A palavra cruel aumenta a força do crime.

Resguardar-se no abrigo da prece em todos os transes aflitivos da existência.

As provações gravitam na esfera da Justiça divina.

Aceitar — nas maiores como nas menores decepções da vida humana, por mais estranhas ou desconcertantes que sejam –, a manifestação dos Desígnios Superiores, atuando em favor do aprimoramento espiritual.

Deus não erra.

Ainda mesmo com sacrifício, entre acidentes inesperados que lhe firam as esperanças, jamais desistir da construção do bem que lhe cumpre realizar.

Cada Espírito possui conta própria na Justiça Perfeita.

Vede que ninguém dê a outrem mal por mal, mas segui sempre o bem, tanto uns para com outros, como para com todos. — PAULO.

(I TESSALONICENSES, 5:15.)

40
PERANTE AS REVELAÇÕES DO PASSADO E DO FUTURO

Observar o maior critério em tudo o que se refira a revelações do pretérito, fugindo ao reerguimento infrutífero de cadáveres que devem prosseguir sepultados na cinza do tempo.

O passado é a causa viva, mas não soluciona o presente.

Convencer-se de que, por enquanto, ninguém se inteirará de acontecimentos anteriores à encarnação atual por motivos banais ou frívolos.

A Sabedoria superior, em revelando o passado de alguém, cogita do bem de todos.

Afugentar preocupações com existências transcorridas, uma vez que qualquer informação nesse sentido deve ser espontânea por parte do Plano Superior, que julga acertadamente quanto ao que mais convém à responsabilidade.

O que passou está gravado.

Tranquilizar-se quanto a sucessos porvindouros, analisando com lógica rigorosa todos os estudos referentes a predições.

A profecia real tem sinais divinos.

Jamais impressionar-se com prognósticos astrológicos desfavoráveis, na certeza de que, se as influências inclinam, a nossa vontade é força determinante.

Temos conosco a vida que procuramos.

Guardar em mente que muitas almas regressam à Vida Maior carregando consigo enormes frustrações pelos equívocos a que se afeiçoaram por terem aceitado revelações destituídas de crédito.

Somos herdeiros de nossos próprios atos.

Todas as coisas me são lícitas, mas nem todas as coisas me convêm. — PAULO.

(I CORÍNTIOS, 6:12.)

41
Perante o livro

Consagrar diariamente alguns minutos à leitura de obras edificantes, esquecendo os livros de natureza inferior e preferindo, acima de tudo, os que, por alimento da própria alma, versem temas fundamentais da Doutrina Espírita.
Luz ausente, treva presente.

Digerir primeiramente as obras fundamentais do Espiritismo para entrar, em seguida, nos setores práticos, em particular no que diga respeito à mediunidade.
Teoria meditada, ação segura.

Dentro do tempo de que disponha, conhecer as obras reunidas na biblioteca do templo ou núcleo doutrinário a que pertença.
Livro lido, ideia renovada.

Apreciar com indulgência as obras de combate ao Espiritismo, compreendendo-lhes a significação, calando defesas precipitadas ou apaixonadas, para recolher, com elas, advertências e avisos destinados ao aperfeiçoamento da obra que lhe compete.

Vale-se o bem do mal para fazer-se maior.

―――― ◆ ――――

Oferecer obras doutrinárias aos amigos, inclusive as que jazem mofando sem maior aplicação dentro de casa, escolhendo o gênero e o tipo de literatura que lhes possa oferecer instrução e consolo.

Livro nobre, caminho para a ascensão.

―――― ◆ ――――

Disciplinar-se na leitura, no que concerne a horários e anotações, melhorando por si mesmo o próprio aproveitamento, não se cansando de repetir estudos para fixar o aprendizado.

Aprende mais quem estuda melhor.

―――― ◆ ――――

Sem exclusão de autor ou de tema versado, analisar minuciosamente as obras que venha a ler, para não sedimentar no próprio íntimo os tóxicos intelectuais de falsos conceitos, tanto quanto as absurdidades literárias em torno das quais giram as conversações enfermiças ou sem proveito.

Os bons e os maus pensamentos podem nascer de composições do mesmo alfabeto.

―――― ◆ ――――

Divulgar, por todos os meios lícitos, os livros que esclareçam os postulados espíritas, prestigiando as obras santificantes que objetivam o ingresso da humanidade no roteiro da redenção com Jesus.

A biblioteca espírita é viveiro de luz.

―――― ◆ ――――

Examinai tudo. Retende o bem. — PAULO.

(I TESSALONICENSES, 5:21.)

42
Perante a instrução

Em todas as circunstâncias, lembrar-se de que o Espiritismo expressa, antes de tudo, obra de educação, integrando a alma humana nos padrões do divino Mestre.

Cultura atendida, progresso mais fácil.

―――

Solidarizar-se com os empreendimentos que visem à alfabetização de crianças, jovens e adultos.

O alfabeto é o primeiro degrau de ascensão à cultura.

―――

Pugnar pela laicidade absoluta do ensino mantido oficialmente, esclarecendo os estudantes, sejam crianças ou jovens, sempre que necessário, quanto à conveniência de se absterem, cordialmente, quando possível, das aulas e solenidades de ensino religioso nos institutos de instrução que veiculem noções religiosas contrárias à Doutrina do Espiritismo.

O lar e o templo são as escolas da fé.

―――

Aperfeiçoar os métodos de ministração do ensino doutrinário à mente infantil, buscando nesse particular os recursos didáticos suscetíveis de reafirmarem a seriedade e o critério seguro de aproveitamento na elaboração de programas.

Na academia do Evangelho, todos somos alunos.

Renovar as matérias tratadas nos programas de evangelização segundo orientações atualizadas.

O Espiritismo progride sempre.

Dedicar atenção constante à melhoria dos processos pedagógicos, no sentido de oferecer aos pequeninos viajeiros recém-chegados da Espiritualidade a rememoração necessária daquilo que aprenderam e dos compromissos que assumiram antes do processo reencarnatório.

Quem aprende pode ensinar, e quem ensina aperfeiçoa o aprendizado.

Dispor o problema da educação com Jesus, acima dos interesses de sociedades e núcleos, unificando, sempre que possível, os trabalhos esparsos, imprimindo maior relevo às obras de evangelização no preparo essencial do futuro.

A educação da alma é a alma da educação.

Portanto, ide e ensinai [...]. — JESUS.

(MATEUS, 28:19.)

43
PERANTE A CIÊNCIA

⁕

Colaborar com as iniciativas que enobreçam as pesquisas e os estudos da inteligência sem propósitos destrutivos.

Toda ciência que objetiva o progresso humano vem do Socorro celestial.

———◆———

Exaltar a contribuição inestimável da medicina terrestre em sua marcha progressiva para a suprema redenção da saúde humana.

O médico, consciente ou inconscientemente, está ligado ao divino Médico.

———◆———

Sopitar quaisquer impulsos inamistosos para com os representantes da ciência sobre temas doutrinários ou problemas assistenciais.

Na prestação de serviço, temos o exemplo renovador.

———◆———

Quando chamado a responsabilidades no setor científico, superar limitações e preconceitos sem perder a simplicidade e a modéstia.

Não há sabedoria real sem humildade vivida.

———◆———

Desaprovar os procedimentos que, embora rotulados de científicos, venham de encontro aos ensinamentos espíritas. À ciência humana sobrepõe-se a Ciência divina.

A ciência incha, mas o amor edifica. — Paulo.

(I Coríntios, 8:1.)

44
PERANTE A ARTE

Colaborar na cristianização da arte, sempre que se lhe apresentar ocasião.

A arte deve ser o Belo criando o Bom.

———◆———

Repelir, sem crítica azeda, as expressões artísticas torturadas que exaltem a animalidade ou a extravagância.

O trabalho artístico que trai a natureza nega a si próprio.

———◆———

Burilar incansavelmente as obras artísticas de qualquer gênero.

Melhoria buscada, perfeição entrevista.

———◆———

Preferir as composições artísticas de feitura espírita integral, preservando-se a pureza doutrinária.

A arte enobrecida estende o poder do amor.

———◆———

Examinar com antecedência as apresentações artísticas para as reuniões festivas nos arraiais espíritas, dosando-as e localizando-as segundo as condições das assembleias a que se destinem.

A apresentação artística é como o ensinamento: deve observar condições e lugar.

E a paz de Deus, que excede todo entendimento, guardará os vossos corações e os vossos sentimentos em Cristo Jesus. — Paulo.

(Filipenses, 4:7.)

45
Perante a Codificação Kardequiana

Recordemos constantemente os ensinos insubstituíveis e sempre momentosos que iluminam as páginas da Codificação Kardequiana, da qual extratamos alguns breves tópicos:

Assim como o Cristo disse: 'Não vim destruir a lei, porém, cumpri-la', também o Espiritismo diz: 'Não venho destruir a lei cristã, mas dar-lhe execução.' Nada ensina em contrário ao que ensinou o Cristo; mas desenvolve, completa e explica, em termos claros e para toda a gente, o que foi dito apenas sob forma alegórica.
(O evangelho segundo o espiritismo)

Espíritas! Amai-vos, este o primeiro ensinamento; instruí-vos, este o segundo. No Cristianismo se encontram todas as verdades; são de origem humana os erros que nele se enraizaram.
(O evangelho segundo o espiritismo)

Os Espíritos superiores usam constantemente de linguagem digna, nobre, repassada da mais alta moralidade, escoimada de qualquer paixão inferior; a mais pura sabedoria lhes transparece dos conselhos, que objetivam sempre o nosso melhoramento e o bem da humanidade.

(O livro dos espíritos)

O homem não conhece os atos que praticou em suas existências pretéritas, mas pode sempre saber qual o gênero das faltas de que se tornou culpado e qual o cunho predominante do seu caráter. Bastará então julgar do que foi, não pelo que é, sim pelas suas tendências.

(O livro dos espíritos)

A lei de Deus é a mesma para todos; porém, o mal depende principalmente da vontade que se tenha de o praticar. O bem é sempre o bem e o mal sempre o mal, qualquer que seja a posição do homem. Diferença só há quanto ao grau de responsabilidade.

(O livro dos espíritos)

Reconhece-se o verdadeiro espírita pela sua transformação moral e pelos esforços que emprega para domar suas inclinações infelizes.

(O evangelho segundo o espiritismo)

Não podendo amar a Deus sem praticar a caridade para com o próximo, todos os deveres do homem se resumem nesta máxima: Fora da caridade não há salvação.

(O evangelho segundo o espiritismo)

Medita estas coisas; ocupa-te nelas para que o teu aproveitamento seja manifesto a todos. — Paulo.

(I Timóteo, 4:15.)

46
Perante a própria Doutrina

Apagar discussões estéreis, esquivando-se à criação de embaraços que prejudiquem o desenvolvimento sadio da obra doutrinária.
O espírito da verdadeira fraternidade funde todas as divergências.

Não restringir a prática doutrinária exclusivamente ao lar, buscando contribuir, de igual modo, na seara espírita de expressão social, auxiliando ainda a criação e a manutenção de núcleos doutrinários no ambiente rural.
Todos estamos juntos nos débitos coletivos.

Orar por aqueles que não souberem ou não puderem respeitar a santidade dos postulados espíritas, furtando-se de apreciar-lhes a conduta menos feliz, para não favorecer a incursão da sombra.
O comentário em torno do mal, ainda e sempre, é o mal a multiplicar-se.

Desapegar-se da crença cega, exercitando o raciocínio nos princípios doutrinários, para não se estagnar nas trevas do fanatismo.

Discernimento não é simples adorno.

Antes de criticar as instituições espíritas que julgue deficientes, contribuir, em pessoa, para que se ergam a nível mais elevado.

Quem ajuda aprecia com mais segurança.

Auxiliar as organizações espiritualistas ou as correntes filosóficas que ainda não recebem orientação genuinamente espírita, compreendendo, porém, que a sua tarefa pessoal já está definida nas edificações da Doutrina que abraça.

O fruto não amadurece antes do tempo.

Recordar a realidade de que o Espiritismo não tem chefes humanos e de que nenhum dos seareiros do seu campo de multiformes atividades é imprescindível no cenário de suas realizações.

Cristo, nosso divino Orientador, não vive ausente.

Que fazeis de especial? — JESUS.

(MATEUS, 5:47.)

47
Perante Jesus

Em todos os instantes, reconhecer-se na presença invisível de Jesus, que nos ampara nas obras do bem eterno.

Aceitou-nos o Cristo de Deus desde os primórdios da Terra.

Nos menores cometimentos, identificar a Vontade superior, promovendo em toda parte a segurança e a felicidade das criaturas.

Cada coração humano é uma peça de luz potencial, e Jesus é o sublime Artífice.

Lembrar-se de que o Senhor trabalha por nós sem descanso.

Repouso indébito, deserção do dever.

Sem exclusão de hora ou local, precaver-se contra o reproche e a irreverência para com a divina Orientação.

O acatamento é prece silenciosa.

Negar-se a interpretar o eterno Amigo por vulgar revolucionário terreno.

Reconheçamo-lo como a Luz do mundo.

———◆———

Renunciar às comemorações natalinas que traduzam excessos de qualquer ordem, preferindo a alegria da ajuda fraterna aos irmãos menos felizes como louvor ideal ao sublime Natalício.
Os verdadeiros amigos do Cristo reverenciam-no em espírito.

———◆———

Identificar a posição que lhe cabe em relação a Jesus, o Emissário de Deus, evitando confrontos inaceitáveis.
O homem que exige seja o Cristo igual a ele, pretende, vaidosamente, nivelar-se com o Cristo.

———◆———

Em todas as circunstâncias, eleger, no Senhor Jesus, o Mestre invariável de cada dia.
Somos o rebanho, Jesus é o divino Pastor.

E tudo quanto fizerdes, fazei-o de todo o coração, como ao Senhor, e não aos homens. — PAULO.

(COLOSSENSES, 3:23.)

Edições de Conduta Espírita

EDIÇÃO	IMPRESSÃO	ANO	TIRAGEM	FORMATO
1	1	1960	20.000	11x16
2	1	1965	10.000	11x16
3	1	1968	5.175	11x16
4	1	1971	10.000	11x16
5	1	1977	10.200	11x16
6	1	1978	10.200	11x16
7	1	1979	10.200	11x16
8	1	1981	10.200	11x16
9	1	1983	10.200	11x16
10	1	1984	10.200	11x16
11	1	1985	15.200	11x16
12	1	1986	15.200	11x16
13	1	1987	20.200	11x16
14	1	1990	15.000	11x16
15	1	1991	20.200	11x16
16	1	1993	9.000	11x16
17	1	1994	10.000	11x16
18	1	1995	10.000	11x16
19	1	1996	20.000	11x16
20	1	1998	5.000	11x16
21	1	1998	10.000	11x16
22	1	1999	5.000	11x16
23	1	2000	3.000	11x16
24	1	2001	3.000	11x16
25	1	2002	10.000	11x16
26	1	2004	3.000	11x16
27	1	2004	3.000	11x16
28	1	2005	3.000	11x16
29	1	2006	3.000	11x16
30	1	2006	2.000	11x16
31	1	2007	3.000	11x16
31	2	2008	5.000	11x16
31	3	2009	4.000	11x16
31	4	2010	6.000	11x16
31	5	2011	3.000	11x16
32	1	2012	5.000	14x21
32	2	2013	5.000	14x21
32	3	2014	2.000	14x21
32	4	2014	3.000	14x21
32	5	2015	2.000	14x21
32	6	2015	4.000	14x21
32	7	2017	3.000	14x21
32	8	2018	1.000	14x21
32	9	2018	600	14x21
32	10	2018	1.000	14x21
32	11	2019	1.200	14x21
32	12	2019	2.500	14x21
32	13	2022	1.500	14x21
32	14	2023	1.000	14x21
32	15	2024	1.500	14x21

FEB editora
Livro espírita para um novo mundo
www.febeditora.com.br
@febeditoraoficial
@febeditora

Conselho Editorial:
Carlos Roberto Campetti
Cirne Ferreira de Araújo
Evandro Noleto Bezerra
Geraldo Campetti Sobrinho – Coord. Editorial
Jorge Godinho Barreto Nery – Presidente
Maria de Lourdes Pereira de Oliveira
Miriam Lúcia Herrera Masotti Dusi

Produção Editorial:
Elizabete de Jesus Moreira

Revisão:
Davi Miranda
Patricia Jacob

Capa, Projeto Gráfico e Diagramação:
Ingrid Saori Furuta

Normalização Técnica:
Biblioteca de Obras Raras e Documentos Patrimoniais do Livro

Esta edição foi impressa pela Repro-Set Indústria Gráfica Ltda., Curitiba, PR, com tiragem de 1,5 mil exemplares, todos em formato fechado de 140x210 mm e com mancha de 100x165 mm. Os papéis utilizados foram o Off white slim 65 g/m² para o miolo e o Cartão 250 g/m² para a capa. O texto principal foi composto em fonte Adobe Garamond 12/15 e os títulos em Adobe Garamond Versalete 18/15. Impresso no Brasil. *Presita en Brazilo.*